CONTENTS

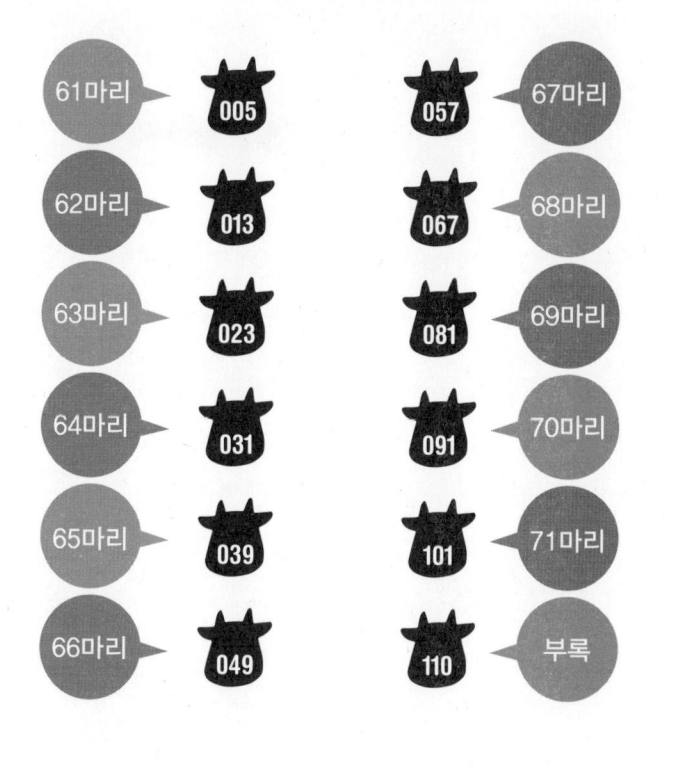

START

③번의 스크루에 휘말리면 사람이라도 갈가리 분쇄되는 관계로 신중히 작업합니다.

붂마마마마마

④ 굴뚝에서 타워 사일로 안으로 뿜어 낸다.

소먹이를 타워 사일로에 쌓을 때 쓰는, 이런 기계가 있습니다.

① 트랙터에 연결해 고출력으로 회전시킨다.

③ 스크루로 굴뚝까지 뿜어 올린다.

② 벨트컨베이어로 밭에서 수확해 온 농작물을 스크루로 보낸다.

근래에는 타워 사일로를 잘 안 쓰는 추세이다 보니 이 기계도 잘 안 보이게 됐답니다.

밀끌

하지만 어느 농가의 젊은 색시가―

발이 미끄러지는 바람에 벨트컨베이어의 제물로!!!

붂마마마마마

61 마리

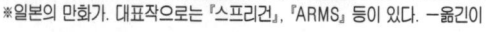
※일본의 만화가. 대표작으로는 『스프리건』, 『ARMS』 등이 있다. —옮긴이

〈농사☆근육〉

어디에도 없고
어디에나 있는
농사 근육...

농촌에서는
늘상 있는
평범한 이벤트에도
그 이면에
농사 근육이
도사리고
있습니다.

우리가 젊었을 적에는
한 가마니(60킬로그램)를
옮길 수 있으면
비로소 한 사람 몫으로
쳐졌지.

현재
70대 →

그런 의미에서
이번 회는
농사 근육
이야기!

주머니 던지기,
장애물 경주,
릴레이 등
평범한 경기들
사이에
숨어 있는…

매년
저희 고향에서
열리는
주민 대운동회.

…긴토키상?

네,
긴토키상.

'긴토키상'.

※경기
이름입니다.

7

뇌까지 근육이세요?!

아니거든요!!!

마을 분들의 상태가?!

30킬로그램의 콩 자루를 머리 위로 치켜든 채 맨 마지막까지 그 자세로 남아 있는 사람이 이긴다는 가혹한 경기!!

아마도 사카타 긴토키※(긴타로)와 도카치 특산물인 긴토키콩을 딴 이름.

←머리에 닿으면 실격.

오로지 완력만으로 지탱.

자기네 농촌 체험 한번 해보고 싶어.

좋아!

참고로 농사 근육과 보통 근육은 전혀 다른 건가 봅니다. 이건 결혼 전에 직장 장기 여름 휴가를 이용해 농촌 체험을 하러 왔던 저희 남편의 이야기인데요.

※헤이안 시대(794~1185년)의 무장. 일본 2대 전래 동화인 긴타로 설화의 주인공이다. 괴력의 상징이다! —옮긴이

그리고 손가락도 저려.

일주일 후

엉뚱한 데 근육통이 왔어.

농사 근육과 근육 트레이닝 근육은 전혀 다른 근육이었다!!

취미가 근육 트레이닝에 자전거로 홋카이도를 누비고 다니는 근육빵빵맨이었던 관계로, '뭐 괜찮지 않겠어?' 하고 아라카와 농원에서 일을 시킨 결과—.

〈지나친 근육은 때때로 탈이 된다〉

11

거래처 각사에 연락해 병가를 좀 달라고 해야지!

병가 말이 나왔으니 말인데, 얼마 전 가족이 아파서 작업량을 좀 줄이게 되었을 때….

C사

큰일 이네요!!

죄송합니다.

→ C사

B사

큰일이네요!! 무리하지 마시고 가능하신 페이스로 작업해 주세요!!

죄송합니다.

→ B사

A사

큰일이네요!! 당분간 연재 쉬죠!!

죄송합니다.

→ A사

이 세상에는 농가보다 살벌한 바닥이 수두룩하구나, 싶은 것 이었습니다. 끝.

너무해!!!

그럼 몇 페이지 그려 주실 수 있나요?

※교토 구라마 산에 산다고 하는 일본의 요괴. —옮긴이

시댁 조상님한테 친근감이·.

무슨 잘로웠을지 궁금해·..

뭐 그야 외부로 반출되면 곤란하겠지.

게다가 마지막 장에는 "다 읽었으면 제자리에." 라고 적혀 있었다나.

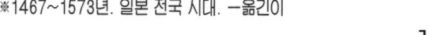

⟨그럼 아라카와 가의 조상님은⟩

저희는 대대로 군마 현 지역에서 농사를 짓다가 메이지 시대 (1868~1912년) 때 성씨가 생긴 평범~한 일반 백성이었다나 봐요.

GUNMA!

춤추는 학처럼 생긴 군마 현!

아라카와 농원은 그런 거 없나요?

농가 창고에 아무도 모르게 잠들어 있는 고문서·.. 로망이 있어요~.

젊었을 때는 역시 저희 집안 조상님이라든가 역사를 알고 싶어서

혹시 유명인이 있으면 어떡하지―.

두근 두근

증조, 고조, 오대조, 육대조 할아버지쯤 까지는 그냥저냥 거슬러 올라갔는데―

아라카와 아무가히

아라카와 아무가이

아라카와 아모가이

아라카와 모

아무개

아라

센고쿠 시대의

나―! 센고쿠 시대까지·.. 엥, 센고쿠* 시대?

큰집 어른께 부탁해서 족보를 본 적이 있거든요.

※1467~1573년. 일본 전국 시대. ―옮긴이

14

그 장대한
가계도가
도달한
종착점…

아모시던
라카와
아아아아

를

벌벌

대강 여기서부터
야리꾸리한
냄새가
폴폴 나는 것
같더니—

센고쿠 시대의
무장 누구누구를
아모시던
라카와
아아아아

에도 시대를
확 건너뛰어서
센고쿠 시대가
나왔어….

※헤이안 시대의 무장. 다이라노 마사카도의 난 진압 외에도 지네, 요괴 퇴치로 유명하다. —옮긴이

뻥 치시네!!!
뭔 놈의 족보가!!!

다이라노
마사카도
토벌

도께끼

오무카데 퇴치 전설

퇴치 전설

그 조상님의 성함은
그 유명한 호걸
**후지와라노
히데사토**※
(별칭 다와라노 도타)

후지와라노 히데사토

풀럭…

너무 뻥이 심해서 그 뒤 조상님에 대한 관심이 사라졌다.

다와라노
도타를
농사꾼
취급하지
마셔!!

용신의 딸이
쌀이 떨떨 나오는
쌀가마니를
줬네—.

와—
오무카데를
퇴치했더니

끙끙

어떤 의미에서는
농가의 조상님으로
모시기에 최적의
인물이 아닐까요?

〈외가〉

족보 하니 말인데요,
아버님과 어머님의
만남에 관해 궁금해 하는
독자 분들이 많더라고요.

거 만남은 무슨,
어머니네랑
아버지네랑
세 집 건너
이웃이에요.

어머나!
소꿉친구
부부셨네!
멋져요!

아니,
우리 부모님 얘기다 보니
'소꿉친구'니 뭐니 해도
전 하나도
안 두근거려요!

만화
설정으로는
곧잘 써먹긴
하지만,
그건 그거고
이건 이거.

앙케트 →

아, 다뢰! 뭐래!
네 대야에
내가 탈 것 같아!

대야대야★
레볼루션
※의미 불명의
타이틀을
태워 줘?

지각하겠어,
하나코!

이런 설정의
순정 만화는
어떨까요?

기각.

저희 집 앞을
흐르는 개울은
외가 쪽 땅을
지나고 있어서,

대야를 타고
개울을 내려가면
금방 친정에
갈 수 있단다.

—라고
곧잘
말씀
하셨죠.

울엉니

와아

실컷
먹으렴

삶은 달걀은
참 원 없이
먹었던.

외가도
농업을 합니다.
젖소를
주력으로
키우고
닭도 약간.

국물도 낼 수 있고.

노계는 좀 질기긴 하지만 깊은 맛이 나서 좋아!

껍질에서 기름이 나와 바삭바삭.

그리고 어머니가 만들어 준, 폐계 (산란율이 떨어진 노계)의 고기를 토막 쳐서 두꺼운 쇠냄비에 구운 것을 자주 먹었는데.

껍질을 아래로 향해 놓고 뚜껑 덮고 약불로 천천히.

소금, 후추를 뿌려서

와아- 털게~♡

그리고 곧잘 간식으로 나온 것이ㅡ.

노인네들은 늘 수수께끼의 루트로 여러 가지를 조달하더라.

얼른 먹어라.
*해석: 증거인멸

...혹시 밀어(密漁)...

제 발로 상륙해서 냄비 안에 들어갔지.

할머니, 이 게 어디서 난 거야?

맛있다- 맛있어-

17

이 정도 크기의 끈끈한 경단을,

소프트볼 정도 크기

감자 가공장에 가서 생전분*을 얻어 오는 거야.

으음~ '생(生)전분' 이었지 역시.

엄마는 어렸을 때 간식 뭐 먹었어?

※정확한 명칭은 모른다더군요.

또 굽고 →
뜯어먹고 →
또 굽고 →
하면서 탁구공 정도 크기가 되면…

장작 난로에 척―

난로에 넣고 겉이 살짝 구워지면 껍질을 까듯이 뜯어먹고…

잠깐, 그거 먹는 거 맞아?!

폭발 했지.

18

달걀 수확

간식을 먹고 나면 닭장 일을 거들었답니다.

외삼촌이나 이모도 같은 얘기를 하는 걸로 보아 아무래도 진짜 그런 음식인 듯.

뻥기!!

테러 감자!!

응, 폭발했지.

옛날 생각난다~! 맞아 맞아, 마지막엔 폭발했어!

보리와 채소 쪼가리와 개울에서 잡아 온 생선을 푹 끓인 죽 같은 걸 곧잘 만드셨죠.

할아버지가 만들고 계시는 건 닭 모이.

한편 닭도 경제 동물인 관계로 산란 실적이 떨어진 녀석은—.

덥석

꼬꼬?

우리 집은 값싼 쌀을 먹었던 관계로 경우에 따라선 보리가 더 비쌌을 수도.

개가 사람보다 더 잘 먹네.

하하

보리밥, 채소, 생선…

훗날 깨달은 건데 어머니가 개들 먹으라고 주던 게 그거랑 똑같은 거….

맘마 먹자—.

인정사정없이
처분한답니다.

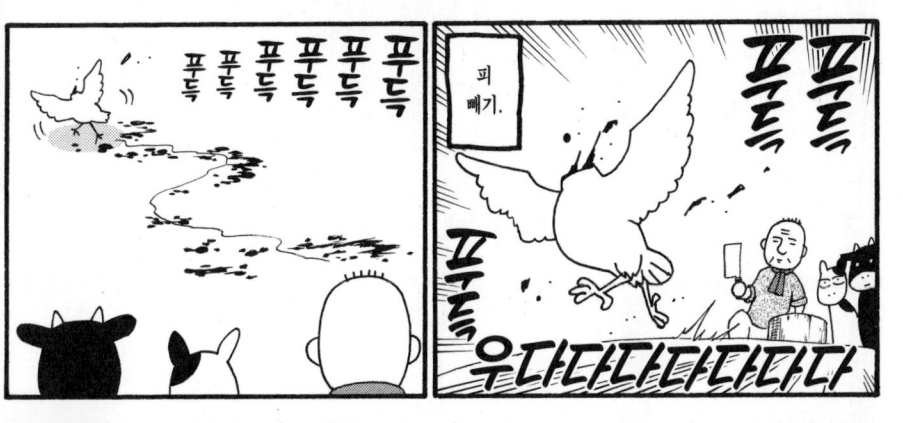

풋 풋 풋 풋 풋 풋

폐기.

풋 풋
풋 풋
풋
우다다다다다다다

나중에 어른이 되어서
프랑스의 화학자
라부아지에의
단두대 실험 전설을
읽다가,

폐계 맛이
생각나네!

목을
자른 뒤에도
의식이
있을까?

프랑스
혁명

닭은
목이 잘려도
저만큼
뛰어다니는
구나….

죽었다.

텉
쏴

20

63
마리

막대 끝에 천을 뭉쳐서 달아 둔 것.

그리고 또 이런 도구를 써서

밤새 하우스 안에 제트 히터를 틀어 두면 편하죠.

밤새 하우스에 쌓인 눈은 어떻게 처리를 하나요?

쌓인 눈의 양과 질에 따라 밤새 한두 시간 간격으로 이 작업을 합니다.

풀 풀

))

목 아또다.

안쪽에서 비닐 부분을 쿡쿡 찔러서 떨어뜨리죠.

하우스 안 열로 눈이 녹아서 떨어지니까.

저희 고향은 골든위크에 내리는 해도 있어요.

'초봄의 눈'은 언제까지 내리나요?

극한 워크 G·W

참고로 땅은 얼마든지 있는 관계로 하우스가 무너져도 무시하고 그냥 옆에 새 하우스를 세우면 그만.

자칫하면 겨울까지 그냥 방치할 때도.

초봄엔 바빠서 치우고 할 틈도 없다구!

그래도 양쪽에 떨어진 눈이 쌓여 옆에서 하우스를 압박하는 관계로 상황을 봐 가면서 인력으로 제설도 하고요.

우 우 우

치익— 압력으로 비닐이 찢어진다—.

24

※검은색은 태양열을 잘 흡수해서 주변 눈이 빨리 녹는다.

그렇게
좋아하지는 않지만
다른 오락거리가
없으니까요.

눈이 내리면
달리 할 수 있는 게
없다 보니
겨울철 놀이는 주로
스키·스케이트입니다.

올 겨울은
전국적으로
눈이 많이
내려서
참 큰일이었죠.

......
…저런.

눈이 쌓이면 스키, 개울이 얼면 스케이트. (※바꿈 카 링크도 있어요!)※

※1권 42페이지 참조.

그럼 아라카와
선생님은
꽤 잘 타시는 거
아녜요?

어머.

저희는 초등학교 뒷산이
촌영(村營) 스키장에 운동장은
스피드 스케이트 링크였던 관계로
동계 체육 수업은 강제로
스키와 스케이트였죠.

※※『북두의 권』 3부. 남자들을 투쟁만을 위해 존재하는 수라로 키우는 섬이 무대. —옮긴이

하지만 초·중학교
시절까지는 쩌리였어도
시내 고등학교에 가면
동계 체육 수업에서
만점도 받을 수
있다는 사실.

북두의 권
'수라의
나라' 편※※?!

다리를
모으고 턴

아뇨 그게,
스케이트로
패럴렐 턴&스키로
코너링이 되는
정도로는
반에서도
이름 없는
수라(修羅)※※※
취급밖에
못 받아요.

체육을 싫어하는
언니도 진학교에 가서
처음으로 동계 체육에서
5점 만점을 받기도.

인생 첫
5점 과목
5점 만점
이야—!! !

늘 체육이
발목을 잡았다.

거기다
농지를 이용한
크로스컨트리도
시킨다!

코너
스키 대회에서
슈퍼 대회전 같은 건
그냥 아무나
다 하는
거잖다니까요.

다리를
크로스시키며
코너링

3
학
기

성
적
표

※※※ '수라의 나라' 편에서 하급 수라는 이름조차 없이 가면을 쓰고 살아가야만 한다. —옮긴이

〈'수라의 나라'의 아버지〉

머리뼈
골절&뇌좌상(腦挫傷)으로
집중 치료실 들어가셨어.

푸윰!!!?

둘이서
오비히로
시내의
병원으로.

마침 오비히로의 병원이라서
취재 예정을 바꿔
오비히로 공항에서
언니2와 합류.

아뇨오—.

희송합니다,
희송합니다.

어쩐지
각오를
하는
두 사람.

아버지도
연세가 연세라
위험하실지도~….

뇌좌상
상상도

푸윰

뇌좌상
이라
—….

아버지
상태는
좀 어때?

으—음,
나도 잘은
몰라….

28

그런데 우리 집 소는 안 죽었어?

안 죽었을걸?

따아

그거야!!

포지티브 인과 역전.

…그렇담 이번 아버지의 부상은 죽을 정도는 아니라는 게 아닐까?

※작가의 아버지 목숨이 오락가락할 때마다 농원의 동물이 하나씩 죽던 일화에서 온 대화. —옮긴이

29

…어째 다들 익숙한 것 같은데.

이거 갖고 있어.

출입구는 여기.

서류는 이거랑 이거랑.

그건 매점에서 판다.

여기 면회 시간은 몇 시부터 몇 시고.

끄~응 끄~응 구급차로 실려 온 기억이 없어~ 끄~응 끄~응.

전부 다른 부상↓

반년에 네 번이나 집중 치료실 신세를 지다 보니 익숙해지지 않고 배겨!

요 반년 새 아라카와 가의 '수라의 나라' 레벨이 쑥쑥 상승일로.

그건 그렇죠.

병원에선 얌전히 좀 계셔!!!

아버지가 병원 침대에서 떨어져서 다치셨어.

다음날.

30

나중에 숙아 낼 거니까 괜찮아~.

실수로 네 알을 뿌렸어!

귀찮은데~.

씨를 다 뿌렸으면 살짝 흙을 덮어 주고.

한 곳에 두세 알씩, 25센티미터 간격으로 씨앗을 뿌리렴.

어린이회에서 농업 체험으로 무를 파종하러 왔습니다.

애들이 뿌린 거네.

오!

그리고 얼마 후.

바이바——이.

수확 때 또 오렴——.

수고했다——.

밭에 무순이 이상 발생.

언 놈이야아아아아아!!!

수북

무순이 났…

64 마리

31

〈현대화〉

확실히
비교가
되는 게
흥미롭네요!

농사는 수작업으로 해야 하는
힘든 일도 많지만
이렇게 간편한 현대적 방식도
고려해 줬으면 좋겠어요.

레벨 3
트랙터 뒤에 달고
여러 줄씩 한 번에
파종할 수 있는
테이프 시더.

완전
간편!!

애들은
기계에 태우면
엄청 좋아한단다!

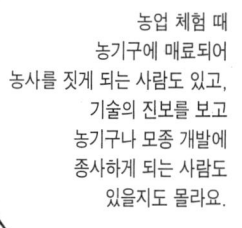

농업 체험 때
농기구에 매료되어
농사를 짓게 되는 사람도 있고,
기술의 진보를 보고
농기구나 모종 개발에
종사하게 되는 사람도
있을지도 몰라요.

옷도
안 더러워
지고!

VR도
괜찮겠네요!

모처럼 각종 기술이
개발되는 시대인데,
차라리 힘든 농업 체험은
집에서 가상 체험 같은 걸로
해도 되지 않을까요.

요즘 농장에서
세균 감염되고
하는 것도
문제라니까

힘든 건
역시
싫어요.

아, 하지만
현대적 작업 방식으로
우리는 '간편해졌다!!'
생각해도
초보자가 하면
중노동이 되는
경우도 있겠네!

33

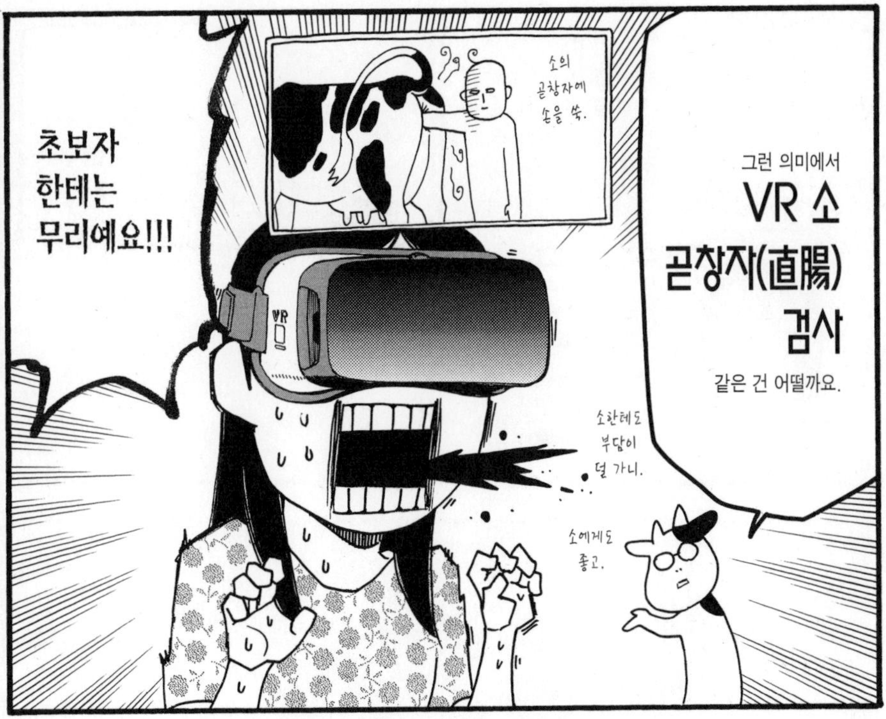

〈미디어는 수작업이 더 그림이 잘 나와서 좋아하는 건지도?〉

꽤 재밌는 경험이었어.

연출까지 다 도맡아서

촬영 종료.

그 연출의 현장을 보고 웃음을 참느라 죽을 맛인 모녀.

너희 아빠 궁여책 잊는 것 좀 봐라!

트랙터! 트랙터!

아무것도 없는 밭 한가운데서 무슨 삽질을 해!!!

그럼!

자!

푸후후 푸후후 푸후후

아...앗.

티잉

에잇

에잇

삽은 보통 그런 상황에서 안 쓰는데 말이야~.

역시 수작업으로 하는 게 농사 느낌이 나서 시청자 반응이 좋은가?

하하하

에잇.

응—티

삽은 보통 배드민턴에 안 쓰는데 말이야~.

아싸아아아아아아아아
파—앙
파—앙
파—앙
파—앙
파—앙
파—앙
파—앙

아버지, 삽을 들고 애들 배드민턴에 난입.

〈무 수확의 가을〉

애들이 파종한 무는 쑥쑥 자라고, 어느새 수확의 계절이!

또다시 농업 체험 입니다!

와—!!

귀찮겠다!!

우리 집은 소규모 농가라 전부 사람 손으로 뽑는단다.

이거 전부 사람 손으로 뽑는 거야?!

크다! 뽑는 것도 힘들어!!

타고 싶다!!

그거 쓰고 싶은데!!

편리 하겠다!!

무 수확기.

큰 농가는 뽑아서 잎을 잘라 바구니에다 넣는 것까지 다 해 주는 기계를 쓰지만.

36

손으로 할래요!!

히익

위험한 건 태워 줄 수 없어요.

그 기계를 도입하자마자 30분 만에 빨려 들어가서 손가락 절단된 사람이 있다고 합니다—.

와

꺄악

꺄악

더러워!

저 옷 빠는 것도 큰일 이겠어~.

흙 묻히고 노는 것도 재밌나 봐.

우리 애가 열심이네~.

네——에

다만 자기가 한 번 뽑은 건 아무리 모양이 안 좋아도 갖고 가기야!

마음에 드는 걸 뽑으면 한 명당 세 개까지 공짜다—!

감사 합니다—!

어머! 싸다! 이웃집에 선물로 사 가겠네!

판매용은 10개에 500엔!

무를 엄청 맛있게 먹네….

오?

우리도.

나도.

우리도.

애들이 열심히 하는 와중에 견학 온 어른들한테 '개'라는 영업 부장을 붙여 둔다는 작전.

와삭 와삭 와삭

맛있으면
사러 오렴ㅡ.

바
이
바
이

엇갈리는
희비 속에
각자 수확물을
가지고
귀로에…

내 건
꼬부라졌어~!

난 큰 거
뽑았어!

뽑았더니
이런 게
나와~.

역시 애들은
재밌단 말야.

수확이
재밌었던 것
같아서
다행이에요.

언
놈
이
야
아
아
아
아
아
아
아
!!!

구멍 속에
되돌려 놓은
것들.

슬쩍…

뽑아 봤지만
모양이
안 좋아서…

하지만 며칠 뒤
밭을 봤더니
여기저기에
시들시들한
무가…

시들

시들

시들

업무 미리 주

아니 그럴!!

홋카이도 뉴스를 이것저것 봤는데 굉장한 게 있더라고요.

"삿포로 시에서 조례로 지정한 일반 하천의 다리 1,66○곳 중 5○○곳이 무허가로 놓은 다리"였대요!

아뇨, 아무리 우리 아버지라도 그렇게까진….

하지만 아라카와 선생님 댁 아버님도 놓으셨을 것 같지 않으세요?

하 하

너무해, 삿포로!

어느 분이 자택 앞에 흐르는 개울에 다리를 놓고 싶어서 시에 문의를 한 걸 계기로 무허가 개인 다리의 존재가 차례차례 드러나게 되었다나 봐요.

불법 불법~

쇼와 시대 (1926~1989년) 초기 때 지은 거니까 세이프!!

어머니 왈.

진짤까.

오래전 호우에 떠내려간 관계로 지금은 흔적도 없답니다.

…우리 집에도 있었잖아, 다리…!!

역시…!!

65 마리

〈아라카와 농원에서 소 사육을 관둔대요〉

갑작스럽지만

아라카와 농원은 젖소를 그만 키우기로 했답니다.

소 사육은 관뒀지만 밭농사는 계속 하고 소재도 많아요!!

좀 더 계속 할 거예요.

엥... 최종화인가요 ?!! ?!! ?!!

잠깐만 만만만만!!!

어머니와 고모도 고령.

전에 그린 것처럼 아버지 뇌좌상 때문에 지금도 자동차 운전이라든가 여러모로 불안하고, 전부터 어깨 관절이 망가져 수술이 필요.

첫 새끼를 밴 암소는 시장에서 비싸게 팔리거든.

우유를 생산하던 소는 전부 팔고 나머지 젊은 소는 차례로 새끼를 배게 해서 팝니다.

때문에 실습생 분들한테도 죄송하다고 하면서 돌려보내고, 올해(2018년) 봄을 기해 젖소를 그만 키우게 되었습니다.

네——?!

여차저차해서 내 더 이상 이 일을 할 수가 없는지라 소는 다 팔게 되었다네. 미안하게 됐어.

과연—.

혼카이도

아침저녁으로 젖을 안 짜게 된 것만으로도 꽤 편해지더라.

소 축사가 헹해졌단다.

어머니랑 다들 우울해하시면 안 되는데…

—그래서 귀성해 봤더니…

부——응

말은 그렇지만 오랫동안 키운 소들이 없어져서 풀이 죽어 계시는 거 아냐?

41

할머니, 고모 둘 다 피부에 윤기가 자르르한 게, 훨씬 좋아 보이시네—!!!

윤기가 자르르

그런 일은 없더라.

죽을 때나 '아, 이대로 계속하다간 죽겠다.' 뭐 그런 생각이 들 때이려나요.

그런데 농가에서는 몇 살부터 노인인가요?

노인 행세 재밌더라.

오히려 놀러 다니느라 바쁘지 뭐니!!

시간이 있다는 건 참 좋더라!!

다행이네요, 다행.

싫거든요!! 집안에서 두 발 뚝 뻗고 툭고 싶거든요!!

역시 농가 분들은 밭에서 돌아가시는 게 행복하세요?

하하하

〈밭농사는 계속하고 있습니다〉

감자, 호박, 옥수수 같은 건 면적을 줄여서 계속하고 있답니다!

예년 같았으면 소 때문에 바빠서 속아내도 밭에 버렸을 겁니다.

어릴 때 솎아 낸 옥수수 →

삶아서 샐러드 또는 볶음요리에!

올해는 '영콘'으로 벌이가 짭짤했다니까!

하지만 씨를 말릴 수밖에.

얼굴만 보면 귀엽단 말야.

이 녀석들은 옥수수 껍질을 바나나처럼 솜씨 좋게 까서 먹는다는 게 감탄스럽습니다.

촌사무소에 연락을 넣어야.

※ 59화

젠장!! 역시 그 한 마리가 다가 아니었어!!

그리고 라쿤도 잡았다!

이제는 저희 고향도 온통 라쿤 천지.

앞으로도 오래오래 잘 돌아가라.

원래 저희 집에도 중고로 왔던 기계라, 제3의 인생인 셈이죠.

착유기는 물소 목장에다 넘겼답니다.

모차렐라 치즈 만들어요—.

덴트콘 밭은 근처 낙농가에다 임대해 주고.

목초 밭에서는 계속 목초를 생산해서 이웃 농가에다 팝니다.

한 더미에 8,000~10,000엔. ↓

43

고양이들은
여전히…

가만, 또
늘어났잖아!

소는 없어졌어도
함께해 왔던 녀석들은
차세대가 활약하게
되었습니다.

야옹
야옹~

휑하니 빈 축사는
양돈가의
새끼 돼지들을
임시로 맡아 주는
용도로 쓰기도 하고.

꿀꿀
꿀꿀

2011년
동일본
대지진
이후로
급속히
늘었죠.

오—
맞아요—!

요즘은 농사를 관두고
남아도는 땅에
태양광 발전 패널을
설치하는 곳도 많죠.

※경사가 너무 완만하다.
(눈이 떨어지지 않는다.)

눈이 펑펑 내리는
지방에다
이런 허접한 설비는
대체 누가
해 놓은 거냐고요!!!

저희 근처
패널
말인데요,

탈원전 무드를 타고
붐이 일었던 것 같은데,
무책임한 업자도
제법 있어서요…

지금은 개선됐지만
겨울만 되면 허구한 날
눈에 묻혔다.

※높이가 너무 낮다.
(눈에 묻힌다.)

※산속에 설치.
(제설은 누가?)

44

산은요~
대대로 내려온 거지만
딱히 쓸 데가 없는
땅이다 보니
그냥 놀려 두느니
업자한테 팔아 버리자,
하곤 해요~.

평지라면 괜찮지만
민가에 가까운
경사지에 있는 건
무서워요….

번쩍!!

참고로 도카치의 겨울은
패널을 수직으로
세우는 게
발전 효율이 좋다고
한다.

오늘
도카치는
맑음!!

햇빛
쨍쨍!!

벽이잡아
!!

눈밭에 반사!!

시골의 딜레마

그걸 또
사 주는 데가
태양광 발전
사업자밖에
없다니까.

사람도
돈도 없어서
산을 계속 가지고
있을 수가 있어야
말이지….

요즘 들어
이상 기후로
호우가 잦아서
경사지에다
패널을 두고 싶지는
않지만….

〈한편 그 무렵 아버지는〉

결국
소를 팔았더니
아라카와 가
식구들이 모두
쌩쌩해졌다는 거.

윤기가
자르르

…아니 아버지도
피부에 윤기가
자르르한 게ㅡ.

워낙 요 몇 년
입원의
연속이라 기운
없으신 건…

병문안
가 볼까.

아버지는
소를 판 뒤
어깨 관절 수술로
입원하셨답니다.

뭐,
집안일은 걱정 말고
느긋하게 고치세요.

한동안
재활 훈련을
해야겠구나.

아직 어깨가
안 돌라가.

오른쪽 어깨 인공 관절
수술은 잘 된 것 같은데,
아예 왼쪽 어깨도
인공 관절로
바꿔 버릴까!

하하하하하

여기
엑스선
사진.

생각보다 크네,
인공 관절!!

메카
아버지
?!!

백성귀족
〈메카 편〉
돌입의
예감이.

46

2018년 9월 6일
홋카이도 이부리 동부 지진 발생.

최대 진도 7!!

쿠우응

어버버...

무사하세요?!

죄송합니다... 죄송하지만...

아라키와 선생님 댁은 괜찮아요??

도내 전역 정전?!

고향 댁은 괜찮으신가요?!

밤~아침 내내 메일이 끊이지 않았습니다.

홋카이도에 큰일이...

in대만 호텔

전 9월 6일에는 팔자 좋게 대만에 있었답니다.

대만에서도 NHK가 나온다. →

방금 전까지만 해도 간사이 공항 태풍 뉴스를 보고 있었는데....

홋카이도에 진도6 이상의 지진 발생

66 마리

〈경위〉

⟨in 대만⟩

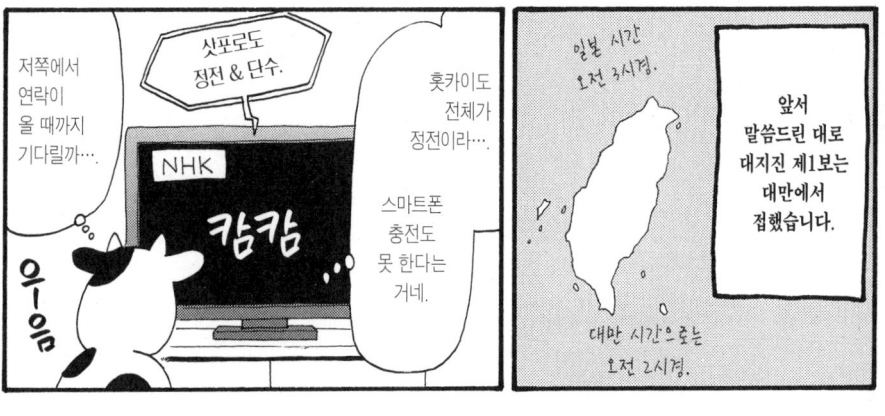

앞서 말씀드린 대로 대지진 제1보는 대만에서 접했습니다.

일본 시간 오전 3시경.

대만 시간으로는 오전 2시경.

삿포로 정전 & 단수.

저쪽에서 연락이 올 때까지 기다릴까….

홋카이도 전체가 정전이라….

스마트폰 충전도 못 한다는 거네.

NHK

캄캄

으음

팔자 좋은 메일이 왔다.

급수하는 데가 걸어서 1분 거리라서 다행이야—.

그러고 있는 동안 아침이 되자 삿포로 언니한테서—.

뿌로—옹♪

무사해—.

우옷, 다행이다!

그걸 '피해'라고 하는 거야 아아아아.

태풍 피해도 지진 피해도 없어.

그냥 정전만 됐어.

도카치 친정에서도 메일이 왔다.

언니 삿포로 진도6

고향집 도카치 진도4

그날 대만 조간 신문은 태풍 21호로 인한 간사이 피해 사진이 1면 톱이었어요.

으히이이이 유조선이 다리에 처박혔어.

친정 쪽은 그렇게 마이페이스였던 관계로 안심하고 뉴스에서 흘러나오는 이부리 지방이나 간사이 공항 태풍 피해만 걱정하고 있었답니다.

여기도 큰일이네요.

올해는 대만에도 자연 재해가 많아서—.

일본 괜찮아요?

대만 분들도 걱정 하시더군요.

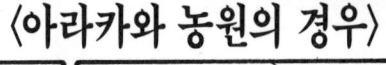

〈아라카와 농원의 경우〉

저희는 평상시 물탱크에다 톤 단위로 물을 저장해 두는 집안이라서.

사람이 쓸 생활용수는?

전기는 끊겨도 농가는 자가 발전 장치가 있는 경우가 많아서….

그렇다고는 해도 전기가 끊기면 농가 입장에서는 사활 문제겠네요.

전에 그렸던 대로 봄에 젖소는 다 팔았기 때문에 남은 건 젊은 소 10마리 정도였어요.

이 녀석들은 목이 마르면 자기가 알아서 목장 내 개울에서 물을 마시고 오거든요.

단수된 곳도 많았다니까 소가 마실 물을 확보하기도 큰일이었겠어요.

52

거실에는 장작 난로가!!

부엌에는 프로판 가스,

불은요?!

차는 휘발유차랑 디젤차(경유) 둘 다 있고!!

기계용 경유 탱크랑 등유 탱크가 상비돼 있죠!

연료는?!

※한여름에도 난로를 놔둡니다.

백성귀족 스러움이 원없이 발휘되네요.

밭이 있어서 먹을 것도 당장 걱정 없고.

장작은 우리 집 산에서 해 와요.

목욕물도 장작으로 데우는 타입에,

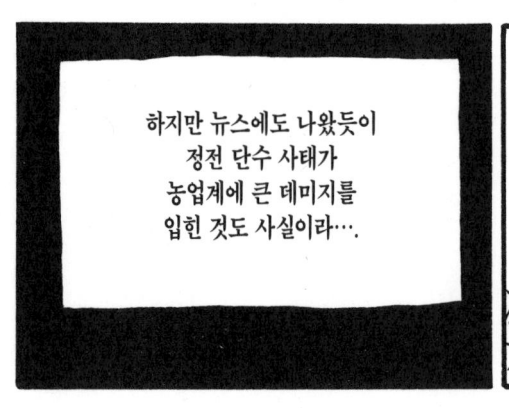

하지만 뉴스에도 나왔듯이 정전 단수 사태가 농업계에 큰 데미지를 입힌 것도 사실이라….

마음 써 주셔서 감사합니다.

정상 영업 중!

걱정 많이 해 주셨지만 그런 고로 아라카와 농원은 무사합니다.

예를 들어 낙농가.

정전!!

착유기를 돌릴 수가 없다!!

자가 발전으로 착유기는 돌린다고 해도 이번에는 우유 가공장이 돌아가지 않는다!!

기껏 젖을 짜 봤자 전량 폐기!!

단수!!

젖소는 하루에 물을 약 100리터는 마신다!!

계속 물을 실어 날라야!!

움머 움머 움머 움머 움머 움머

모오오오

그 결과 낙농가의 폐업이 가속화….

증세가 심할 경우 폐우(廢牛)가 될 수도!!

한동안 젖을 출하할 수 없다!!

그렇다고 해서 젖을 안 짜고 방치하면 '유방염'이 유발된다!!

젖이 아따…

끄으응 끄으응 얼른 짜줘…

지난 15년여 동안의 사진을 모아서 아라카와 농원 앨범을 만들었어~.

있잖아 있잖아, 우리 집이 젖소 사육을 관둔 걸 계기로 기록을 남겨 두려고 말이야.

짜안

추억

감자 수확은 예년과 마찬가지.

얄궂은 일이지만 아라카와 농원은 봄에 소 사육을 관둔 덕에 이번 사태를 큰 위기 없이 모면한 형국이 되었습니다.

울엄마

54

재난 지역민 상대로 징기스칸을 뜯어먹으려 드는 인간 쓰레기.

아직 지진 때문에 다들 정신없을 텐데 미안하잖아 그럼 징기스칸. (양고기 요리)

응?

먹을 거라든가.

택배로 보낼 건데, 혹시 보내는 김에 뭐 또 같이 보낼까?

→ 삿포로

뜯어먹으려 드는 인간 쓰레기한테 덤까지 쳐 주는 재난 지역민.

…진도 6짜리 지진 아니었어?

간토 ←

오케이~.

연어알도 슬슬 제철이 됐으니까 절여서 같이 보낼게.

오— 괜찮다 괜찮아.

그 뒤로는 좀 어때요?

소 축사나 밭에는 별일 없을까?

친정은 그 뒤 좀 어떨까….

친정 도카치 ←

→ 삿포로

전화해 보자.

문제의 진도 6짜리 지진이 덮친 삿포로 시민인 언니 1.

또?
데리러
갈게!

N씨네

모모가
저희 집에
와 있어요—.

저희 개들이랑
사이가 좋아서
탈출하면 늘 저희 집에
놀러 오곤 했답니다.

또 끊어
먹었네!!

그리고
파워풀해서
웬만한 쇠사슬쯤은
끊고 탈출하기
일쑤였죠.

모모

네?
안 왔는데요.

그러던 어느 날
또 쇠사슬을 끊고
탈출해서
이번에는
행방불명이
되었답니다.

아라카와 씨네
안 갔어?

흔히들
허스키는
귀소 본능이
약하다고
하던데…

집에
집착을
않는 것
뿐인지도.

저희 집에 놀러 오는 길은
잘 기억했지만
집에 가는 길은
잘 기억 못 하던 모모.

또
놀게!!

부우웅

트럭 타고 집에
가는 모모.

?

까악
까악

어디로
간 걸까요…
걱정되게…

벌써
일주일이나
집에
안 와…

아스팔트 도로를 질주하며 돌아온 모모!!

…모모다!!

살아 있었어!!

덜그럭 덜그럭 덜그럭 덜그럭 덜그럭 덜그럭 덜그럭 덜그럭 덜그럭 덜그럭 덜그럭

뭔 소리지?

모모오오오오오오!!!?

어떤 퀘스트를 하고 온 거야?!

덜그럭 덜그럭 덜그럭 덜그럭 덜그럭 덜그럭

쇠사슬 끝에는 사슴의 머리뼈가 걸려 있었습니다.

〈엘(콜리)〉

앗! 래시다!

안녕 하세요 …

어렸을 적 그 댁에 놀러 갔을 때 있었던 일.

엘이야.

근처 농가 S 씨네 콜리 엘이 있었습니다.

러프 콜리 종

저희 고향에도 드라마 「명견 래시」* 붐이 일었던 무렵,

※에릭 나이트(Eric Knight)의 소설을 기반으로 제작된 미국 텔레비전 드라마. ―옮긴이

그렇게 큰 개한테 쫓겨 다니니 거의 패닉!

몸집이 큰 콜리는 키가 60센티미터는 족히 넘는 관계로 위압감이 장난 아닙니다.

숨 숨 숨

와악?!

탄 앙!

끄엉!

컹 컹 컹

와 악! 와 악!

공격 하잖아!!

끼 잉 아

히 잉

겨우 S 씨네 소 축사 안으로 달아나자 엘도 안까지는 들어오지 않고

엘은 저를 축사로 몰고 오더니 그걸로 만족한 것 같았습니다.

목양견

혹시 공격한 게 아니라 이리 몰고 온 거?

…어라?

왜 갑자기 공격한 걸까….

무서 웠어~.

헝! 헝! 헝!

61

콜리는 참―
똑똑하다니까요….

쿠―웅

탈출한
가축이랑
똑같은
취급이네….

〈덴스케(믹스)〉

덴스케

마메라

버려진 걸
잭이
주워 왔다.

잭

치비

아라카와 가의
역대
떠돌이개라든가
주워 온 개라든가
얻어 온 개는
다음과 같습니다.

친척이
"데려갈래?"
해서 데려왔다.

마메가 일찍 죽어서
잭이 우울해하기에
얻어 왔다.

마메

받은 개

떠돌이개

여기서부터는
들어오면
안 돼.

알았지?

여긴
소 축사야.

개가 집에
새로 오면
맨 처음
가르치는 게
서로의 영역.

?

똑

62

음, 알았어. 여기서부터.

덴스케는 머리가 좋았기 때문에 이 규칙을 바보스러울 정도로 착실히 지켰답니다.

이걸 몇 번 반복하면 개는 자기가 들어가면 안 되는 곳이라고 이해해 줍니다.

안 돼.

?!

하지만 고양이가 우사 안으로 달아나면 거기서 스톱.

고양이가 부모의 원수라도 되는 것만 같은 기세.

눈에 띄기만 하면 집요하게 추적했죠.

그런데 덴스케는 사실 고양이를 엄청 싫어하더군요.

정신력 장난 아니네…

앞발이 콘크리트를 파고 들어갈 것만 같은 기세로 참았답니다.

크르르…

기특하게도 선을 넘지 않고 지키는 개.

하아!악

여기라면 덴스케가 들어오지 않는 것을 알고 위세를 부리는 고양이.

〈마메타(믹스)〉

마메타는 얼빵한 녀석이었죠…

나는 고양이한테 관심 없어~

63

남의 눈을 피해
(자기 딴엔)
장난을 치러
소 축사에
들어갔다가—

소한테 걷어차여
축사에 얼씬도
못 하게 되었답니다.

뜨거운 맛을
보기 전에는
모르는 타입.

뼈
엉

매애
ㅓ
엉
!!

〈아버지(인간)〉

셋째…도
아니고,

둘째…
도
아니고,

큰딸…
이
아니고,

가만…

가
아니지,
아들!

덴스케ー.

아들보다
개가 먼저?!

개보다
후순위.

뭐,
넷째(나)까지
내려온 걸
보니까
남은 건
동생밖에…

아,
동생(아들)을
부르고 싶은데
이름이 갑자기
안 나오는
거구나.

넷째…도
아니고
뭐더라….

가
만

가
만

64

있지,
나도 엄청
불렀어──.

잇어 가는
벼이삭
후지산라
비둘기

이런 노래가
있어?

아침 드라마를
보던 중
「FFJ의 노래」가
흘러나왔습니다.

※FFJ=일본 하교 농업 클럽 연맹(5권 참조)

농고생
이면
공감?

어떤
노래더라….

…어라…?
「FFJ의 노래」는
기억나는데
우리 농고 교가는
기억 안 나…?

몰랐어.

아~
이 노래가
이 가수
노래였구나~.

헤이세이
마지막
홍백가합전~!

항간에 어떤 노래가
유행하는지
잘 몰라서
연말 홍백가합전※이
꽤 신선합니다.

※ 매년 12월 31일 NHK 홀에서 열리는 일본의 음악 가요제. ─옮긴이

레몬 때문에
고민….

요네즈 씨는
레몬 때문에
고민하셨을 때─.

유튜브
인가에서
유명해
졌다든가….

요즘
자주
듣는
이름!!

요네즈
겐시!!

진짜 잘
모르시네.

다음은
요네즈
겐시 씨
입니다.

싱큰감

「Lemon」은
곡명입니다.

아니
거든요!

요네즈 씨는
레몬 농가
출신이구나!!

〈신년 첫 업무 미팅〉

'소들 간의
괴롭힘'!!!

왜 하필
시커먼
소재를?!!

68
마리

아뇨, 그건 인간이 키우는 거라 느긋한 것뿐이에요.

느긋하게 앉아 물을 뜯고 있는 소.

소 하면 느긋하고 온후한 이미지인데요…

그럼요. 왜 아니겠어요—.

아니 근데 소들도 다른 소를 괴롭히나요?

냉혹하게…!

우물 우물

사람의 손을 타지 않고 야생화되면 흉포해져요.

야생화되고 그때부터는 전혀 사람의 손을 타지 않아서….

히이이

KRRR

2011년 동일본 대지진 때는 출입 금지 구역에서 야생화된 소를 포획하느라 난리가 났었죠?

예를 들어 시장에서 새로 사 온 소를 프리 스톨*에서 원래부터 키우던 소들과 함께 풀어 두면—.

새 집 이다—

새 집 이다—♡

한정된 공간에서 집단 생활을 강요당하다 보면 소들 간에도 트러블이 발생하기 마련이죠.

인간이 키운다고 해도 거친 기질이 남아 있어서….

※소가 매여 있지 않고 자유롭게 돌아다닐 공간이 있는 소 축사.

치 숨겨요…!!

치익—!!

야, 신입.

펄썩

성질 드센 녀석이 괴롭히러 오는 경우가 있어요.

70

괴롭히는 녀석이 와서 쫓아 버린다든가.

괴롭힘 당하는 녀석이 프리 스톨 안에 있는 회전 브러시를 쓰고 있노라면—

물을 마시려고 하는 걸 방해한다든가.

소가 자유롭게 가려운 곳을 갖다 대고 브러시할 수 있다.

프리 스톨

아무데서나 잘 수 있게 침상이 비치된 체육관 안에 학생이 수십~백 단위로 들어차 있다고 상상해 보면 이해하기 쉽다.

프리 스톨은 인구(소) 밀도가 꽤 높다니까요.

프리 스톨에서는 달아날 데도 없네요.

방목

아니 그게, 방목장에서도 꼭 괴롭히는 녀석이랑 괴롭힘 당하는 녀석이 있어요.

더 넓은 방목장이면 스트레스를 안 받아서 괴롭힐 생각도 안 하지 않나요?

스톨 사육(계류 사육)

한 마리 한 마리 정해진 우리에 목줄 등으로 매여 지낸다.

흥

얄궂게도 운동은 할 수 없지만 괴롭힘도 당하지 않는 스톨 사육 쪽이 더 마음이 놓이는 소도 있죠.

그런 경우도 있죠!

바로 옆 소한테 괴롭힘을 당하면 오히려 비참하지 않나요….

라고.

낮에는 방목으로 실컷 운동을 시켜 주고 밤에는 스톨 사육을 하는 게 소한테는 제일 스트레스가 적은 것 같아요.

예전에 농대 선생님한테 들은 이야기로는

저희는 우연히 소한테 좋은 환경이었네요.

바로 옆 소가 성질이 더러운 녀석이면 물을 마시게 놔두지를 않아요!

뜨악

뜨악

히익

물 마시고 싶다.

스톨 사육의 경우 두 마리에 한 대씩 급수기가 설치되는데요….

72

보통은 사이좋게 급수기를 나눠 쓰지만요….

하아

고생 많네.

이 경우 반대쪽 기둥에 급수기를 한 대 더 설치하거나 소를 교체하거나 하는 수밖에요.

너무 불쌍해요!!

〈스톨 사육에 관해 이것저것〉

소가 목을 넣으면 이 고리를 채웁니다.

풀어 줄 때는 위쪽의 잠금 장치를 들어서 뺍니다.

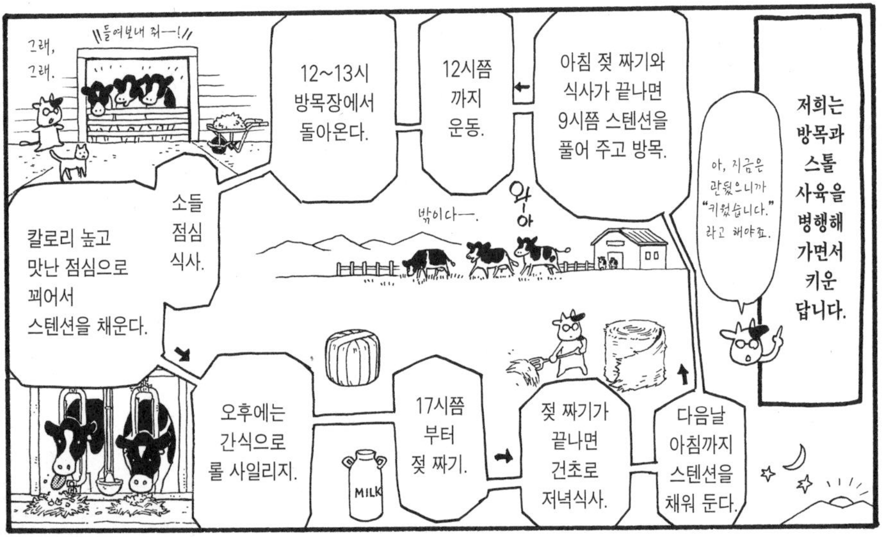

그밖에도 이런 것이 있습니다.

타이식.

아라카와 가에서는 이런 것을 쓰죠.

이것을 '스텐션'이라고 합니다.

스톨 사육에 쓰는 도구,

그래, 그래.

들여보내 줘―!

12~13시 방목장에서 돌아온다.

12시쯤까지 운동.

아침 젖 짜기와 식사가 끝나면 9시쯤 스텐션을 풀어 주고 방목.

아, 지금은 팔렸으니까 "키웠습니다." 라고 써야죠.

저희는 방목과 스톨 사육을 병행해 가면서 키운답니다.

칼로리 높고 맛난 점심으로 꾀어서 스텐션을 채운다.

소들 점심 식사.

밖이다―.

와아

오후에는 간식으로 롤 사일리지.

MILK

17시쯤 부터 젖 짜기.

젖 짜기가 끝나면 건초로 저녁식사.

다음날 아침까지 스텐션을 채워 둔다.

오늘부터 여기가 네 잠자리다.

어린 소 육성 축사에서 부모 소 축사로 옮기면 처음 몇 번은 줄을 당겨서 정해진 잠자리로 유도하죠.

좀 가르치면 자기 잠자리를 기억해서 제 발로 스텐션에 들어가요.

아라카와 선생님 댁은 소들의 잠자리가 각자 정해져 있었나요?

콩콩

방목장에 갔다가 돌아오면 맛있는 농후 사료나 콘 사일리지를 준비해 두죠.

여기에 낚여서 스텐션에 들어간답니다.

패 순순히 들어가게 돼요.

며칠 이걸 반복하면 잠자리에 자기 냄새가 배어서 안심하나 봐요.

콩콩 아, 여기 내 잠자리네.

와-아

※어디까지나 저희 아라카와 농원의 방식입니다. 방목 없이 스톨 사육만 하거나 꼬리를 매달지 않는 곳도 있어요.

소가 자는 동안 이렇게 해야 꼬리가 더러워지지 않아요.

고무 재질 입니다.

꼬리를 매달면 수용 완료!!

그런 다음 사람이 스텐션을 잠그고—

딸깍☆

〈괴롭히는 소의 말로〉

몇 년 지나면 괴롭히는 소는 먼저 폐우가 되거든요!!!

괴롭힘 당하는 소가 마음의 안식을 찾을 날은 과연 올까요…?

오죠!! 걱정할 것 없어요!!

글썽

어디 간 걸까~?

그래?

요전에 큰 트럭이 와서 타고 가더라.

그러게.

그러고 보니까 괴롭히던 걔가 요즘 안 보이네.

그런 대화를 상상하고 안색이 창백해진 담당 이시이 편집자였던 것이었던 것이었던 것이었다.

와— 잘됐네.

난 스트레스를 안 받아서 요즘 젖이 펑펑 나와!

잘은 모르겠지만 평화로워졌으니까 잘된 거야!!

시커매〰〰

76

⟨괴롭힘이랄까⟩

엥?!

월급을 안 줬나?! 아니면 갑질?!

○○ 씨네 중국인 실습생이 관둔 모양이야.

어느 날…

저희 고향에서도 20~30년 전부터 외국인 실습생을 썼는데요.

괴롭힘이랄까, 작금의 외국인 실습생 노동 환경 문제와 관련해 떠오른 이야기.

아아 그거네 그거! 오차즈케로 말아 먹을 거라고 찬밥을 줬나 보네!

바슈

아니,

농번기라 바쁘니까 후딱 먹고 치울 수 있게 식사로 오차즈케를 줬더니 화가 나서 중국으로 돌아갔대.

다친 데 없이 무사히 돌아가면 좋겠어요! 농사일 조심해서 해요!

우린 이제 곧 돌아가요.

일본에서 찬밥은 괴롭힘이나 모욕이 아니지만, 그래도 죄송합니다!

일본에서 2년 일하면 우리 딸 학비를 전부 다 댈 수 있어요~.

근처에서 일하시던 중국 분들

모욕에 가깝다던가….

(지역차나 개인차는 있겠지만) 중국인한테 찬밥을 주는 건 실례에 해당해.

그런 거야?? 나도 조심 해야지!!

감자 감자

77

〈괴롭힘 소재가 아니었으면〉

뭔 수를 써도
즐거운 얘기가
안 될 게
뻔했잖아요!

권두 컬러로
괴롭힘 소재 같은 건
리퀘스트 하지 말 걸
그랬어요….

이거요 이거!!
소의 출산 소재!!
경사스럽네!!

소의 출산

호오!!
소의 출산
소재요!!

밝은 소재,
밝은 소재….

신년 첫 회는
역시 밝은 소재로
해야겠어요.

이리
오지마
아아아아
아아아아

우다?다다다

뭐든지
응아 소재로
가는 거
올해는 진짜
그만 하죠.

올 한 해도
잘 부탁
드려요!!

이건 한밤중에 일어났던 일인데요,
소가 출산을 했는데 이게 또
워낙 순산이다 보니
엄마 소가 울지도 않아서
가족 중에 아무도
눈치를 못 챘지 뭐예요,
그래서 아침에 축사에 가 봤더니
아마 분뇨통에서 뒹굴었는지
온몸에 마른 응아가
덕지덕지 붙어 있는 송아지가
저를 향해 힘차게 달려오던
이야기를 해 볼까요?

지금은
베트남 인이
많다고
합니다.

열마
전까지는
중국인,

농가에
오는
실습생은
옛날에는
일본인,

토미카 제조 공장
이전의 역사

토미카의
역사
같다니까.

아래에
제조국이
적혀 있다.

지금 ← 열마 전 ← 옛날

MADE IN
VIETNAM

MADE IN
CHINA

MADE IN
JAPAN

농기구를 그릴 때 다카라토미 제품에 신세 많이 지고 있습니다.

어디서든 '헤이세이 마지막'이라고 해보고 싶었는데 드디어 했다, 하하하하하!!!

레이와

헤이세이 마지막 『백성귀족』!!

※헤이세이 31년(2019년) 4월 27일 발매된 《윙스》 2019년 6월호의 이야기입니다.

헤이세이 원년=1989년 버블 붕괴는 헤이세이 3년=1991년

호오, 그런 시대였더라.

헤이세이 원년은 아직 버블 경기가 한창이었죠?

쇼와에서 헤이세이로 연호가 바뀔 때는 일왕이 돌아가셨기 때문에 자숙 무드였는데 이렇게 평화롭고 활기차게 연호가 바뀌니까 참 기뻐요!

그러게요.

아라카와 농원은 당시에 버블 덕 좀 보셨나요?

완전 정상 영업

우리는 놀라울 정도로 버블 덕을 본 게 아무것도 없었어요….

아아… 헤이세이 마지막 좀스러운 이야기….

69 마리

81

〈버블의 달콤한 꿀〉

지금이라면 B급으로 분류할 것도 전부 농협에서 쓸어갔고.

백합 뿌리 농가 분들

출하해도 출하해도 "더! 더!" 하고 아우성이었지.

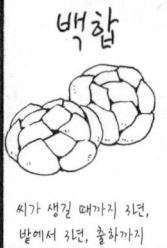

백합

씨가 생길 때까지 3년, 밭에서 3년, 출하까지 도합 6년이나 걸린다!!

잘 나갔던 건 역시 고급 식자재 계통이었죠.

?!!!

홋카이또 백합 뿌리 1개 수백 엔!!

확실히 당시 혼슈 쪽에 갔을 때 가게에 진열된 백합 뿌리의 가격을 보고 깜짝 놀랐지 뭐에요.

저희 고향은 백합 뿌리의 명산지라 고급 요정이나 간사이 쪽에서 주문이 쇄도했답니다.

그 무렵 아라카와 농원.

호박도, 무도!!

감자 가격이 안 올라!!

어디서나 구할 수 있는 평범한 채소는 가격이 통 안 올라서요.

감자

이 가격에 팔아도 되나…?

하지만 이거 품질이 영 아닌데….

돈만 되면 & 소비자가 원한다면 저급품이라도 팍팍 내놔야지!

원래는 시장에 못 내놓는 저급품인데 내놓는 게 마음에 걸려….

농가 분들도 여러 타입이 있죠.

82

홀스타인 수송아지는 생후 약1주일쯤 되면 시장에서 고기소 육성 농가로 팔려 간답니다.

버블 전에는 한 마리에 3만 엔 전후 (5만 엔까지 가면 만만세)였던 육용(肉用) 홀스타인 소가 10만 엔도 넘는 가격에 팔렸지!

고기소 쪽도 버블 때는 꽤 잘 나갔어요!

농기구와 트랙터도 대형화, 하이테크화, 컴퓨터화로 비싸졌죠!

농사일이 편해졌어!

그 무렵 아라카와 농원.

수컷이 태어나면 비싸게 팔 수 있지만 하필 이럴 때 암컷만 태어나고!!

우유 가격이 안 올라!!

우리 놀던 땅도 경마 훈련 시설용으로 팔았지—♡

스키장 근처 우리 땅이 리조트 개발 덕분에 비싸게 팔렸어!

하하하

그 무렵 아라카와 농원.

아니 비싸서 사지도 못해!!

직접 고치지도 못할 물건은 필요 없다!!

크고 컴퓨타로 움직인다던가 하는 트랙터는 필요 없다!!

"비싸다." 든가 "좀 싸게 해달라." 든가 뭐 그런 말이 안 나왔어.

다만 버블 때는 소비자 측에서 가격에 불만이 없었지.

흐음.

우리는 원래 높은 가격에 단골손님한테 팔았기 때문에 딱히 '버블!!' 같은 건 안 탄 편일지도?

브랜드 달걀 판매를 하시는 근처 농가 분으로 말씀드릴 것 같으면—

꼬꼬- 꼬꼬-

절성 딸걀

〈농협 관광〉

그 촌구석에 해외 전세기가 종종?!!

부—웅

농협 관광이 활발해져서 촌구석 작은 공항에서 해외로 전세기가 종종 다니게 됐지.

아, 그러고 보니까 덕 본 게 있긴 있다!

도카치 오비히로 공항

해외에 나가기 편해졌다!

아버지가 해외에 다녀오신 건 기억이 나지만 지토세 공항이나 뭐 그런 데인 줄 알았는데….

버블 한번 끝내 주네.

나도 농협 관광으로 연수 겸 해외에 다녀왔는데.

분명 미국, 중국, 한국, 뉴질랜드 편 같은 게 다녔어.

〈저도 해외에 다녀왔는데요〉

※시(市), 정(町)과 함께 일본 지방 자치의 기초를 이루는 행정 구역 단위. —옮긴이

〈먼 나라 이야기〉

'경비귀족'
…이 소재로
책 한 권 분량은
너끈히 나올 듯.

왜 그때
저축을
안 해 뒀을까…,

그리고 모두가
이구동성으로.

〈그리운 유행어〉

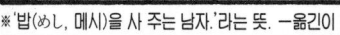

이거 먹고,
이것도 먹고.

자, 먹어.

농가
얘기
네요.

밥을
먹여
준다….

밥 먹여 주는
'멧시 군'!※

아!
이 당시
유행어!

그립네요,
버블….

※ '밥〈めし, 메시〉을 사 주는 남자.'라는 뜻. ―옮긴이

메르세데스
벤츠
Unimog

벤츠
유니목
좋아요.
기동력 짱.
농가
얘기네요.

론론하고
기동력도
발군.

그런 거
말고
벤츠
라든가….

마세이
퍼거슨
포드 뉴홀랜드

고급
외제차…

농가
얘기
네요.

고급 외제차로
데리러 와 주는
'앗시 군'!※※

발트라
클라스
죠디어

농가
얘기
네요.

길하니
일하기
좋은 달.

따 온 거라고
하죠.
레이게츠는
'초봄의 길한 달'
이라는 뜻….

레이와
〈令和〉의
'레이〈令〉'는
만요슈의
레이게츠
〈令月〉에서

※※ '다리〈あし, 아시〉가 되어 주는 남자.'라는 뜻. ―옮긴이

도회지 굉장해—!

신주쿠 사람 엄청 많다—!

가부키초

밤의 신주쿠를 거닐던 중.

만화가가 되기 위해 집을 나와 상경했던 그해.

그러고 보니까 올해 2019년 여름은 어느새 탈농·상경·데뷔 20주년입니다.

둘 둘 둘

......

드라마나 만화 같은 데서 보고 약간 관심이 있었던 관계로 점을 쳐 봤더니.

진짜 있네!!

아!! 역술가!!

점 점

엥…

손님…

농가 생활이 그렇게 고됐나….

지금까지 용케 버티셨네요.

70 마리

그런 일이 있었죠.

아니, 갈비뼈에 금이 가는 사건이 있었잖아요.

그 뒤 20년, 무사히 살면서 일을 하고 있습니다.

야호!!

앞으로 아무 문제없을 거예요!!

일·건강 문제없고!!

※3권 114페이지 참조.

아무렇지도 않게 하실 얘기냐고요!!

아니 진짜 너무 둔해!!

또 생활에 지장은 없는 통증이었고요.

이번에는 좌 3번 늑골.

게다가 바로 얼마 전에 건강 검진을 받으러 갔는데 지난번 거기 말고 또 다른 갈비뼈에 골절흔이 발견됐죠. 인생 통산 두 번째 골절이었어요.

그 뒤 다른 검사를 통해 실은 부러졌었다는 사실이 판명 됐답니다.

금이 간 게 아니라.

아라카와는 갈비뼈가 부러진 감각을 알게 됐다!

청순한 뇌.

나쁜 점은 안 믿지롱!!

좋은 점은 믿고!!

아라카와 선생님은 점을 믿는 타입이세요?

〈비포 애프터〉

우선 섭취 칼로리!

농사일 관두고 홋카이도에서 상경하신 뒤로 크게 달라진 건 뭐였나요?

현재

매끼 반 공기

농사일을 하던 시절

매끼 고봉밥
두 공기

3권 28화에서
매일 이만큼
먹었다는 이야기는 했는데,
밥의 양만 해도 옛날
지금 이렇게 차이가 나요.

플러스 3시에 간식

플러스 일어나서 바로 간식,
10시, 3시에 간식, 저녁 때 간식, 야식

이 정도
…??

아니,
좀 더…??

'보통'의 양을
모른다 & 집에서는
다른 가족들이
먹을 양까지 한꺼번에
하다 보니까
'일인분'이 얼마나 되는지
잘 모르겠더라고요.

자취 생활 초창기에는
요리용 저울이 없었다.

보통
일인분 하면
양이 얼마나
되지?

때문에 상경해
자취 생활을
시작한 직후
먹을 것과
관련된 고민은
식비보다도…

오뎅도
무 한 통
분량을
다 넣기도
하고.

…뭐,
전부 한 번에
게 눈 감추듯
먹어 치웠지만요.

당시에는.

상경 당시의
엥겔 계수가
궁금하네요.

두두ー웅

그리고
프라이팬
가득 완성된
산더미
같은 파스타.

너무
많이 했어!!!

그리고 먹을 것과 관련해

감자를 가게에서 사야 한다는 사실에 굴욕감을 느꼈어요.

감자 농가

성가신 백성귀족.

애들 탓하시긴.

우리 애들이 좋아해서 어쩔 수 없이 가게에서 살 수밖에 없었…

쿨럭!!

그걸…!!

연어알 절임은 어부 아저씨가 갖고 오는 연어 배를 갈라서 직접 만들어 먹는 건데…!!

처음 가게에서 샀을 때 의문의 패배감이 들었어…!!

…연어알도…!!

〈향수병은 없었지만〉

털… 털을 혀… 털을… 만지고 싶어…

사방에 동물이 있는 생활을 하다가 동물이 없는 생활을 하게 되니까 털이 모자란 나머지 극심한 불안감에 시달리게 됐어요.

알코올 중독 같네요.

노스털지어?

노스털지어랄까?

거 뭔데요.

털수병?

집에 가고 싶어— 뭐 그런 향수병은 전혀 없었지만 털수병은 있었죠.

미야호—!

1/1 스케일
리트리버(까망)
봉제 인형
하나를 사서
바구니에 싣고
귀가.

야호야호
야호야호

TOYS"R"US

그러던 어느 날
끝내 더 이상
참을 수가 없어서
자전거로
토이저러스에
달려가서

웬 봉제
인형?!

동물을
키우자는
생각은
안 하셨
어요?!

생명을
키운다는 건
큰 책임이
따르는
거예요!

동물을
키우는 건
도가 트셨을
텐데??

20년 지난
지금도
그 봉제 인형은
집에 있답니다.

슈우...

꼭
끌어안았더니
거짓말같이
진정이
되더라고요.

집에 있었을 때는
머릿속 한귀퉁이에
'곰 조심'을 못박아 둬야 했던
관계로 늘 조금씩
긴장하면서 일을 했으니까요.

곰한테
잡아먹히면
어떡해.
곰 나오는 덴못
근처면 얼씬도 마.

곰
조심.

곰 조심.

조심해.
옥수수 밭에
있을지도.

상경함으로써
더 이상 곰 걱정은
안 해도 돼서
참 좋았죠.

노스털
지어니
뭐니 해도
곰은
노땡큐
인지라

크르르.

도회지
만세.

다행
이네요~

그만큼
뇌의
메모리가
비어서
쾌적해요!

지금은
곰에 대해선
아무 걱정도
없어서
참 좋다니까요!

〈상경해서 힘들었던 것〉

비닐하우스
일 같은 걸로
익숙해지지
않으셨어요?

우글쭈글

우엉

어찌나
덥고 습한지!
원고지도
울잖아요!

거꾸로 상경해서
힘들었던 건
푹푹 찌는
여름이요.

에어컨 없는
자취방

처음에는
근성으로
여름을 났지만

연재가 결정돼
어시스턴트
분들이 오면
그럴 수도 없는지라
에어컨을 들이기로.

후덥지근
해….

하지만
아직
버틸 수
있어….

호카이도는
장마다운
장마가
없다.

따가워라

비닐하우스 일은
안에 있을 때는
힘들지 몰라도
밖으로 나오면
시원해요.

달아날 곳 없는
이 '후덥지근~'함은
못 살겠다니까요.

후끈

으으으

비용이 많이 나가는 만큼 혼자 있을 때는 절전을….

에어컨 없으면 어시들 다 죽겠다!

연재가 잘리면 난감해지겠지만 어쩔 수 없지!

겨울 보너스 일시불.

※시운전

농민의 근성론 따위 일격에 날려 버리는 에어컨 님, 에어컨 님. 에어컨 천국 불신 지옥.

나 이거 하루 종일 켜 둘래!!

문명 만세!

〈한여름 밤의 꿈〉

못 자겠어….

푹푹 찌고….

숨이 막혀….

응…?

더워…

이상하다, 에어컨은 켜져 있을 텐데….

그리고 완전히 도회지에 적응해 농사 근육도 없어지고 가족도 늘어난 어느 한여름 밤….

엄청난 더위에 기진맥진하는 꿈ㅡ.

하우스 안에서 정글처럼 우거진 식물들을 헤치며 일하는 꿈.

그때 꾼 꿈.

얼굴을 짓누르는 아들의 기저귀 찬 엉덩이가.

에어컨도 있어….

아냐, 난 더 이상 농사 안 지어….

그 꿈에서 깨어 보니까ㅡ

오랜만에 비닐하우스의 푹푹 찌는 더위와 퇴비 냄새를 다시 맛본 것이다!!

앤드 방귀.

98

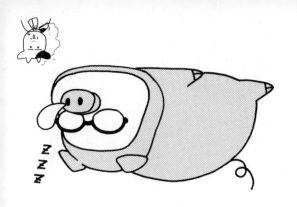

농가 분들의
진로에
관심이 있어요!

졸업하면
집안일을 거들고 싶었고,
기숙사가 있어서
돈도 별로 안 들고 &
도시락 싸는 수고도 안 들고…
해서 1권에서 만화로
그린 대로
모 농고를 선택했죠.

어머니는 장차
선택의 폭이 더
넓으니까
진학교로 가라고
하셨지만
아버지는
"너 하고 싶은 대로 해라."
라고 하셨어요.

직접 정한
거예요.

그건 직접
정하신
건가요?
부모님
의견은?

전 농업 고등학교에
추천으로 들어가서
졸업 후엔 집에서
농사를 짓는다는
당시로선 전형적인
진로였는데요.

작전명
'편하게 가자'

가벼운
이유였네요!!

내신 점수도
여유있고요.

저희 집이 농가라는
어드밴티지에,
배구부가 잘 나가면 농고인데
제가 또 배구를
6년 동안 했던 것도 있어서
추천에 유리했거든요.
그럼 고교 입시 공부도
안 해도 되니까 완전 최고!
이건 안 가는 게
손해다 뭐 그런 느낌?

기
마리

101

⟨추천 입시⟩

※장래에는 만화가가 됨.

장래에는 집안일을 거들면서 지역 농업에 공헌을 어쩌고저쩌고!!

네!

졸업 후에는 역시 농업 쪽으로?

면접에서

※가라테부에 들어감.

그럴 생각입니다!!

네!

고등학교에서도 배구를?

초·중학교 때 배구를 했네요.

배구부 고문 선생님

여기 배구부는 신년 연휴에도 합숙한다잖아!! 싫어!! 고등학교에선 문화계 부에 들어갈 거야—!!

이미 입학한 이상 어느 부에 들어가든 내 마음이지—!!

중학교 때 배구 지역 대회나 연습 시합에서 곧잘 맞서 싸웠던 상대. 역시 추천으로 낙농과에 들어왔다.

엥?! 아라카와, 배구부 안 들어가?!

모 농업 고교에 입학.

그렇게 그럴듯한 소리를 늘어놓아 추천 입시를 돌파,

그리고 당시 우리 학교 배구부는 머리를 쇼트 커트로 깎아야 한다고 들어서 입부를 관뒀다.

102

난 미술부에 들어…

…가려고 했는데 이 학교에는 미술부가 없잖아!!! 아니 문화계라곤 다도부밖에 없네!!

근육 학교.

서클활동일람

다도	
아이스하키(동계한정)	
테니스	야구
배드민턴	탁구
농구	
가라테	
유도	
검도	
육상	

이 다도부도 '격투 다도' 같은 게 아닐까 의심이.

으~음, 어느 부에 들어가지…

배구부 들어가자—

아라카와 아직 못 정했어?

아직 못 정했으면 나랑 같이 견학하자.

도장 →

견학'만' 이라면 같이 가 보자~.

좋아—.

그래서 가라테부에 같이 견학하러 갔다가

견학자는 여기다 이름을 적으렴.

견학

'견학'에 이름을 적었더니

얼마 후 '입부'가 되었다.

어락?

103

아니 그게~
격투기는 원래
좋아하는 편이라
'뭐, 아무렴 어때.'
하다 보니
그대로 3년 내내
계속하게 되더라니까요.

입시도 입부도 너무
대충대충이에요!

〈농업 고교에서 배운 것〉

아!
3학년 선배
시합
시작했어!

그리고
첫 가라테
지역 대회.

그렇게 가라테부에
들어가서...

울끈
불끈

중3 여름에
배구부를
은퇴할 때까지는
허벅지 근육이
울끈불끈
했었는데

말랑

고등학교
입학할 무렵에는
허벅지 근육이
말랑말랑...

다시
울끈
불끈

그러다가
가라테부에
들어간 지 불과
일주일만에
다시 울끈불끈!

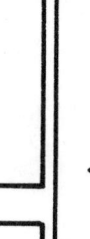

배구 안 하는 동안에도
집안일(농사)은 계속 했지만
역시 농사 근육이랑
스포츠 근육이랑은 전혀 다르네!

104

깨서 냉장고 안에 넣어 뒀어도 위험합니다.

또 '내용물은 괜찮겠지.' 하고 달걀을 깨서 장시간 놔두는 것도 금물!

해외에 나가면 절대 날것으로 먹으면 안 됩니다.

일본에서 날달걀을 먹을 수 있는 건 이런 작업을 철저히 하기 때문이에요.

그리고 달걀을 떨어뜨리면 정학입니다.

(6)

가축 > 인간

농업 고교에서 배운 것(5)

살모넬라 균의 무시무시함.

이건 철칙 이에요!

네!

깨는 순간 세균이 번식을 시작하기 때문에 달걀을 깨면 바로 먹을 것!

(7)

다람쥐 ≫ 인간

다람쥐 횡단 주의

교내에 많이 있는 다람쥐를 괴롭히면 퇴학!

가축뿐 만이 아니라

〈졸업 후의 진로〉

그리고 농협 관련 일이라든가.

대학에 가거나 가업을 잇는 경우가 많아요.

농고생은 졸업 후에 어떻게 되나요?

⑦ 권에서 계속!

〈드론〉

아들이랑 같이 놀면서 배워야지.

와— 나 봐 봐, 봐 봐!

그런 고로 저도 드론에 익숙해지기 위해 연습용으로 작은 드론을 샀죠.

요즘은 농업계에도 드론을 도입해 효율을 올리는 곳이 늘었습니다!

부— 웅

따딸깍 하고!

에잇!!

향년 5초(秒)

와장ㅣ창

툭

키잉

천장에 꽈ㅣ앙

111

그 뒤 집에서 고양이를 키우자며 귀찮게 조르지 않게 되었다는.

말없이 튀기는.

· · · ·

씨 / 이 / 엉

땅끅

잘 치울 수 있겠어?

고양이는 잘 도착한다?

야옝 야옝

〈이종(異種) 태그매치〉

참고로 여우 대비책에 쓰는 건 이 반짝반짝 테이프.

지금까지는 여우만 대비하면 됐는데~.

파리 장식 같은 데 쓰는 반짝반짝 메탈릭한 그거.

라쿤 피해는 멈출 줄 모르고 계속되어 지금은 옥수수 밭에 라쿤이 득실댑니다.

이 짱!

헤 이

헤 이

참고로 이 테이프 밖으로 하나라도 튀어나와 있으면···

어쩐지 덫 같은 거라고 여기는 듯

↓

이 반짝반짝 테이프를 옥수수 밭 둘레에 쳐 두면 여우는 손가락 하나 건드리지 못한다.

112

인공 관절 거 느낌 좋네.

외양간 일기
숲의 작은 친구들♡

...작업 째고 보러 갈까!

슬금...

아— 산속에 외따로 난 벚나무가 올해도 멋지게 꽃을 피웠네~

그러던 어느 해 5월, 밭일로 한창 바쁠 때….

그렇다고는 해도 벚꽃 전선이 홋카이도에 도달하는 건 밭일이 한창인 4월 말부터!

올해는 전국적으로 벚꽃의 개화가 빠른 모양입니다!

저희 고향에는 예초 벚나무가 많답니다.

냐아~

동물이 다니는 샛길을 지나면 근사한 벚나무가 한 그루 외따로 나 있었죠.

매년 그렇지만 밭일 때문에 꽃구경할 여유가 있어야 말이죠!

꺄악!!

참진드기!!!

몸길이 약 2~4밀리미터.

피를 빨면 콩알처럼 커짐.

응? 어쩐지 근질근질 해….

그리고 다시 밭에 돌아와 작업을 시작 했는데….

좋았어! 일하자!

한동안 바라보고 만족.

두 번 다시 작업 째고 산에 꽃구경하러 안 갈래요!!

조미료 뿌리는 것처럼.

그 녀석들, 샛길 위에서 기다리고 있다가 지나가는 동물의 기척에 반응해 떨어져 내리지.

여러분도 조심 하시길.

끝!!

온몸에 13마리나 되는 참진드기가 붙어 있었습니다.

인공 관절 거 느낌 좋네.

싫거든요!!
집안에서
두 발 쭉 뻗고
죽고 싶거든요!!

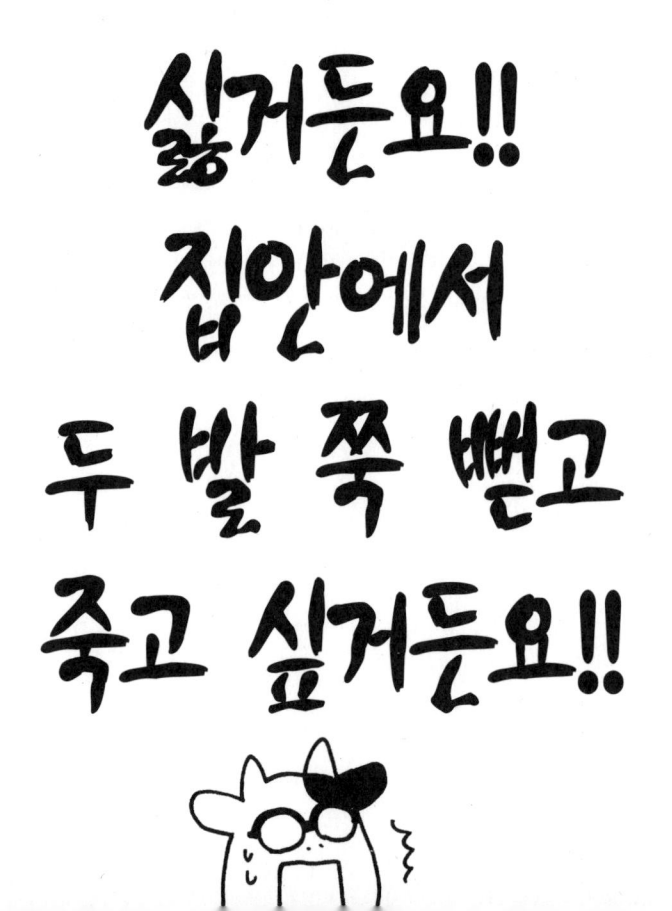

삼국지의 유명한 장수 관우를 모신 사당입죠.

천정에서 농업에 종사하던 시절, 요코하마 차이나타운의 관제묘에 갔었습니다.

농사를 열심히.

라고 소원을 빌면서 제비를 뽑았더니~.

탈농(脫農)하고 만화가가 되고 싶어요!

좌좌락

제비

쩨쩨 하게 굴지 말 것.

믿을 수 있는 신령님이다 싶었습니다.

새전으로 5엔을 넣고 제비를 뽑았더니―

탈농할 수 있게 해 주세요~!

이번엔 꼭... 어라. 5엔짜리 잔돈밖에 없네. 뭐 어때.

마음이 좋요하지, 마음이.

그리고 1년 뒤, 또다시 가서는―

짤랑―

인공 관절 저 느낌 좋네.

6

1판 1쇄 찍음 2020년 4월 1일
1판 1쇄 펴냄 2020년 4월 15일

지은이 아라카와 히로무
옮긴이 김동욱
펴낸이 박상준
펴낸곳 세미콜론

출판등록 1997. 3. 24 (제16-1444호)
(06027) 서울특별시 강남구 도산대로1길 62
대표전화 515-2000   팩시밀리 515-2007
편집부   517-4263   팩시밀리 514-2329

한국어판 ©(주)사이언스북스, 2020. Printed in Seoul, Korea

ISBN 979-11-90403-56-6 07830

세미콜론은 이미지 시대를 열어 가는 (주)사이언스북스의 브랜드입니다.
www.semicolon.co.kr